Erik Satie
(1866 - 1925)

DEUX ŒUVRES

pour violon & piano

I. Choses vues à droite et à gauche
(sans lunettes)

II. Embarquement pour Cythère

œuvres posthumes

édition établie de Robert Orledge

introductions d'Ornella Volta et Robert Orledge

ÉDITIONS SALABERT

Erik Satie n'a écrit que deux seules œuvres pour violon et piano : la première, **Choses vues à droite & à gauche (sans lunettes)**, composée en janvier 1914, a été publiée de son vivant par Rouart-Lerolle en 1916[1] ; la seconde, **Embarquement pour Cythère**, inédite jusqu'ici, n'a été découverte que récemment par Robert Orledge.

Au cours de ses recherches pour son remarquable ouvrage, *Satie the Composer*[2], qui a constitué un tournant décisif pour l'étude de notre compositeur, le Dr Orledge a également retrouvé un volet inédit de **Choses vues...**, parfaitement achevé[3], mais néanmoins écarté par son auteur lors de la première publication de cette œuvre.

Sans vouloir, bien évidemment, remettre en question le choix de Satie de faire de cette œuvre un triptyque, nous publions ici — le distinguant toutefois clairement des trois autres — ce quatrième volet que le Dr Orledge propose aux amateurs de curiosités de jouer, comme un [**Autre choral**], entre les deux derniers mouvements, et cela sur le modèle d'une autre œuvre en quatre volets de notre compositeur, **En habit de cheval** (composé pour piano à quatre mains ou orchestre).

Dans la présente édition, **Choses vues à droite & à gauche (sans lunettes)** se décline donc ainsi : **Choral hypocrite**, **Fugue à tâtons**, [**Autre choral**], **Fantaisie musculaire**.

Pour ce qui est de la considération dans laquelle Satie tenait ses propres chorals (parmi lesquels va compter désormais celui découvert par le Dr Orledge), nous renvoyons à l'exergue que Satie a placé en marge du **Choral hypocrite**[4].

On s'est beaucoup interrogés, comme on sait, sur les titres et indications de jeu insolites d'Erik Satie. Pour **Choses vues...**, en particulier, une note manuscrite de Conrad Satie[5], prise en juillet 1914, vraisemblablement sous la dictée de son frère, nous éclaire sur les intentions cachées dans certaines formules.

---

1 - Avec une dédicace à son premier interprète, le violoniste Marcel Chailley qui l'avait jouée le 2 avril 1916, à l'École Lucien de Flagny.
2 - Cambridge University Press, Cambridge, 1990.
3 - Bibliothèque Nationale de France, Département de la Musique, Fonds Erik Satie, MS 9573 (1), pp.16 à 18.
4 - Cf infra, p. 5.
5 - Collection particulière.

Erik Satie wrote only two works for piano and violin: the first, **Choses vues à droite & à gauche (sans lunettes)** *[Things seen to the right and left (without glasses)]*, was composed in January 1914 and was published during the composer's life-time in 1916 by Rouart-Lerolle;[1] the second, **Embarquement pour Cythère** *[Embarking for Cythera]*, hitherto unpublished, was only recently discovered by Robert Orledge.

While engaged on research for his remarkable book, Satie the Composer[2] — *a work that proved a decisive turning point in Satie studies* — Dr Orledge also found an unpublished sheet[3] belonging to **Choses vues...**, in a perfectly finished state, but nevertheless set aside by the composer at the time of its first publication.

While we respect Satie's preference for the triptych form, we have none the less decided to include this fourth part — at the same time distinguishing it from its neighbours — which Dr Orledge suggests to those who are curious enough to try the experiment, to be played as an [**Autre choral**] or [Another chorale], between the last two movements. He bases his suggestion on another of Satie's works in four parts, **En habit de cheval** *[In Horse Dress]*, which was composed for piano four hands or orchestra.

In this edition, therefore, **Choses vues à droite & à gauche (sans lunettes)** runs as follows: **Choral hypocrite**, **Fugue à tâtons**, [**Autre choral**], **Fantaisie musculaire**.

The inscription that Satie placed in the margin of **Choral hypocrite**[4] bears witness to his view of his own chorales (among which we must now include the sheet newly discovered by Dr Orledge).

Much ink has been spilt over Satie's unusual titles and performance markings. A manuscript note by Conrad Satie,[5] taken down in July 1914 most likely at his brother's dictation, sheds some light on the hidden meanings in certain expressions, particularly with reference to **Choses vues...**

---

1 - It is dedicated to its first performer, the violinist Marcel Chailley, who had premiered it on 2 April 1916, at the École Lucien de Flagny.
2 - Cambridge University Press, Cambridge, 1990.
3 - Bibliothèque Nationale de France, Music Department, Fonds Erik Satie, MS 9573 (1), pp. 16-18.
4 - See below, p. 5.
5 - Private collection.

© 1995 Éditions SALABERT
Paris, France

EAS 19339

Nous transcrivons cette note ci-dessous, en rétablissant l'ordre dans lequel les formules en question figurent dans la partition, et en y ajoutant d'autres, reprises de la même note, mais qui correspondent à des indications non reportées dans le seul manuscrit connu[6], source de l'édition de 1916 et des suivantes :

[Formules utilisées :]

- *Ralentir avec bonté* : condescendance
- *Fugue à tâtons* : forme respectée. Le violon tâtonne, il est victime du piano.
- *Les os secs et lointains* : momie très éloignée. Physique spectral.
- *Partez d'un seul coup* : départ instantané, toute la force d'un fou.
- *En élargissant la tête* : pas ironique. Il développe sa compréhension, s'augmente. Il y a de quoi.
- *Large de vue* : prodigalité, désintéressement inutile, sans mesquinerie.
- *Fantaisie musculaire* : blague de l'exagération du virtuose.
- *Laqué comme un chinois* : un trait que le violon fait. Très vivant, mais laqué.

[Formules non utilisées :]

- *En feu* : incandescent.
- *Comme un fusil* : lâchez la détente.
- *Très penaud* : béta (il se demande si l'effet précédent a porté), gêné. Il se recueille pour le bouquet du ridicule.

Nous espérons que ces « explications » — quoique parfois aussi cryptiques que les formules qu'elles prétendent éclaircir — seront de quelque aide, sinon aux interprètes, tout au moins aux exégètes d'Erik Satie.

Ornella Volta, mai 1995

We have transcribed this note below, placing the explanations in the order in which they are found in the score. Three further explanations have been added, taken from the same note, although they do not correspond to any of the markings in the margin of the only known manuscript source,[6] which was used for the edition of 1916 and those thereafter.

[Markings used in this score:]

- Ralentir avec bonté *[Slowing down kindly]: condescendingly.*
- Fugue à tâtons *[Fumbling fugue]: following the form. The violin fumbles its way through. It is a victim of the piano.*
- Les os secs et lointains *([Dry distant bones]: a faraway mummy. Spectral body.*
- Partez d'un seul coup *[Leave all at once]: immediate start, with the strength of a madman.*
- En élargissant la tête *[Broadening the head]: not ironic. He develops his understanding, increases, and with good reason.*
- Large de vue *[Broadminded): prodigality, futile selflessness, without any meanness.*
- Fantaisie musculaire *[Muscular fantasy]: a joke about virtuosos who overact.*
- Laqué comme un chinois *[Laquered like a Chinaman]: a passage on the violin. Very lively, but laquered.*

[Markings not used in this score:]

- En feu *[On fire]: incandescent.*
- Comme un fusil *[Like a rifle]: release the trigger.*
- Très penaud *[Very sheepish]: silly (he wonders whether the last remark had any effect), embarrassed. He stands still while ridicule is heaped upon him.*

We trust that these "explanations", while they are sometimes as cryptic in themselves as the markings on which they are meant to throw light, will nevertheless be of some help to scholars, if not to performers, of Erik Satie.

Ornella Volta, May 1995
translated by Mary Criswick

Erik Satie. *Choses vues à droite & à gauche (sans lunettes)*, manuscrit autographe. Bibliothèque-Musée de l'Opéra de Paris, Rés.219, p.1.

à Marcel Chailley

CHOSES VUES À DROITE ET À GAUCHE
(sans lunettes)
pour violon et piano

CHORAL HYPOCRITE

Erik SATIE

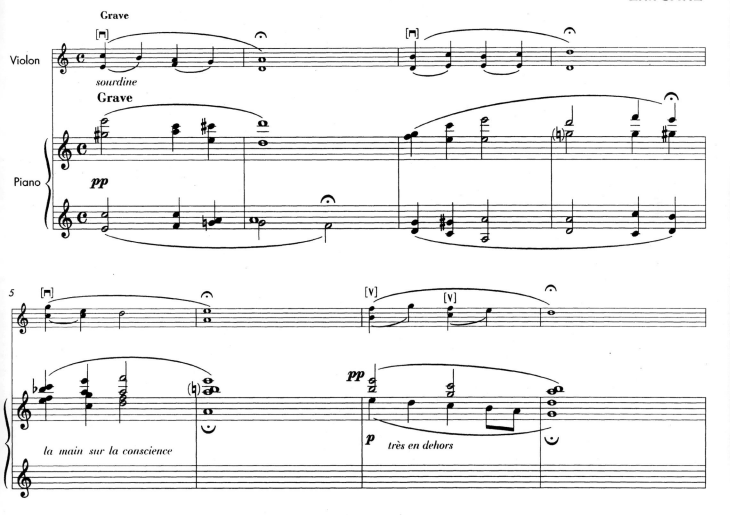

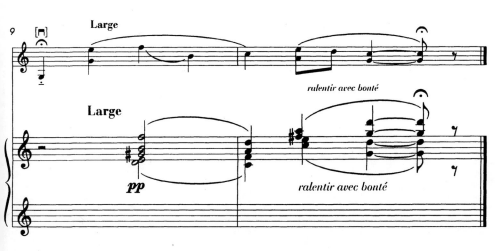

*Mes chorals égalent ceux de Bach,
avec cette différence qu'ils sont
plus rares et moins prétentieux.*

17 janvier 1914

RL 10074p

FUGUE À TÂTONS

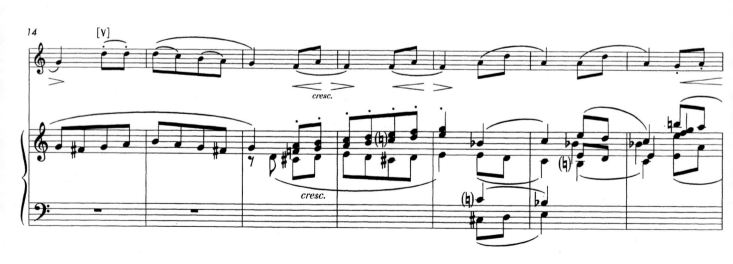

21 janvier 1914

[AUTRE CHORAL]
mouvement facultatif

Erik Satie

DEUX ŒUVRES

pour violon & piano

I. Choses vues à droite et à gauche (sans lunettes)
II. Embarquement pour Cythère

œuvres posthumes
édition établie de Robert Orledge
introductions d'Ornella Volta et Robert Orledge

❄

violon

ÉDITIONS SALABERT

CHOSES VUES À DROITE ET À GAUCHE
(sans lunettes)
pour violon et piano

Violon

Erik SATIE

CHORAL HYPOCRITE

FUGUE À TÂTONS

RL 10074m

Violon

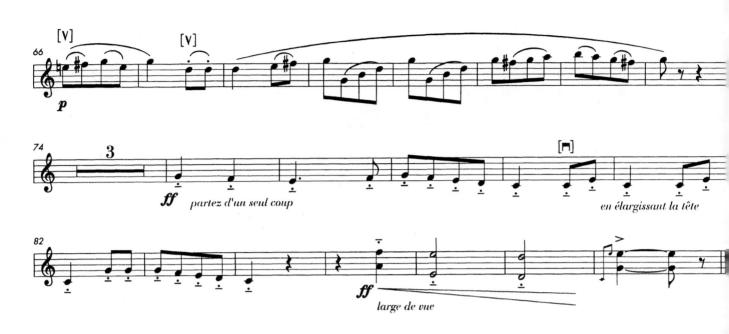

[AUTRE CHORAL]
mouvement facultatif

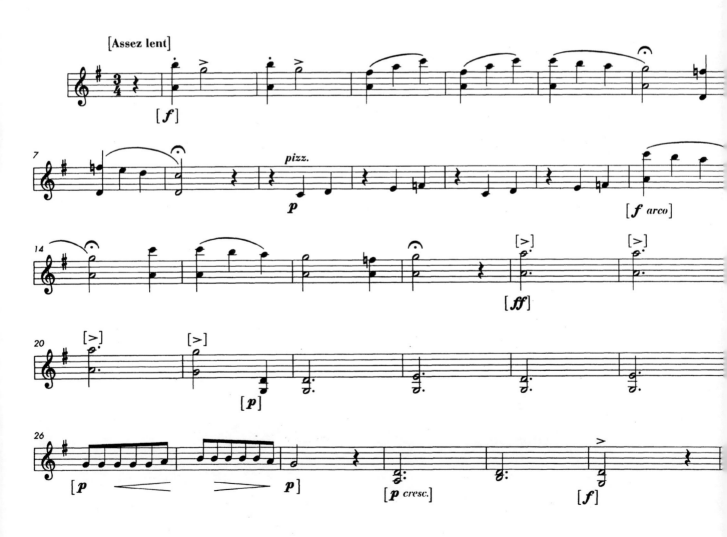

FANTAISIE MUSCULAIRE

à Hélène Jourdan-Morhange

EMBARQUEMENT POUR CYTHÈRE
pour violon et piano

Violon

Erik SATIE

EAS 19338m

Violon

FANTAISIE MUSCULAIRE

30 janvier 1914

Arcueil-Cachan, le 23 Mars 1917

Chère Madame — J'espère que vous
allez bien ; moi aussi, du reste.
Vis Lucas, hier.
Voici les titres :
"Embarquement pour Cythère" ; *
"Choses vues à droite & à gauche"
(sans lunettes) :
a) Choral hypocrite ;
b) Fugue à tâtons ;
c) Fantaisie musculaire.

Je me permets de vous dédier, Chère Madame,
l' "Embarquement pour Cythère"
Bonjour mille fois de

*   Piano & violon, bien entendu.

Erik Satie. lettre autographe signée à Hélène Jourdan-Morhange, 23 mars 1917. Coll. particulière.

Dans deux lettres à Hélène Jourdan-Morhange (23 et 24 mars 1917)[1], Satie a annoncé son intention de lui dédier une nouvelle pièce, *Embarquement pour Cythère* (peut-être inspirée du tableau de Watteau), pièce qu'il se proposait de composer tout spécialement pour qu'elle la joue, en première audition, avec le pianiste Pierre Lucas, le 17 mai suivant, à la Salle Huyghens. ***Choses vues à droite & à gauche (sans lunettes),*** composées en 1914, auraient également figuré, ce jour-là, au programme.

Dans ses souvenirs, la violoniste regrette que « la maladie ait empêché ce projet d'aboutir, et qu'elle n'ait pu ainsi jamais s'embarquer pour Cythère avec Satie ! »[2]

En fait, notre compositeur n'a été atteint par la maladie qui devait l'emporter que bien des années plus tard. Au printemps 1917, il est plus probable qu'il ait renoncé à s'occuper ultérieurement de l'***Embarquement pour Cythère*** à cause de son engagement pour ***Parade***, créé par les Ballets Russes le 18 mai, c'est-à-dire au lendemain même du concert de la Salle Huyghens.

Il avait cependant déjà bien avancé dans la composition de cette pièce ainsi que le prouvent les esquisses d'une séduisante barcarolle pour violon et piano — avec des indications très précises pour les coups d'archets — que j'ai découvertes dans un carnet du compositeur à côté des quelques brouillons pour le ***Portrait de Socrate***, datant de mars 1917, eux aussi.[3]

Dans ces esquisses, les huit premières mesures ont été repassées à l'encre comme Satie avait l'habitude de le faire pour ses versions définitives. Il avait aussi noté, en marge, une série d'accords, basée sur les quartes parfaites, qui m'a permis de compléter le petit nombre de mesures qui manquaient dans la partie pour piano (passage signalé par des crochets).

Pour la reprise, j'ai conservé l'accompagnement d'origine et traité la ligne de violon sur le modèle des variations de Satie pour la mélodie des ***Nocturnes*** (ce passage est, lui aussi, signalé par des crochets).

J'ai ensuite vérifié le résultat moi-même en jouant ***Embarquement pour Cythère*** avec la violoniste Catherine Yates du Quatuor Sorrel. A mon avis, ***Embarquement pour Cythère*** est une des plus belles œuvres de la maturité d'Erik Satie — proche de ***Socrate***[4] par sa profondeur et par la façon subtile d'évoquer le même univers inattendu, et un peu sinistre, de la deuxième partie de ce « drame symphonique », ***Bords de l'Ilissus.***

Robert Orledge, mai 1995
traduit de l'anglais par Ornella Volta

Bibliographie : Robert Orledge, « Satie at Sea », in *Music & Letters*, LXXI, 3 [août 1990], pp.364 à 366 et *Satie the composer*, op. cit., pp.314, 315.

1 - Archives de la Fondation Erik Satie, collection Ornella Volta.
2 - Cf Hélène Jourdan-Morhange, *Mes amis musiciens*, Paris, les Éditeurs français réunis, 1955, p.76.
3 - Cf Bibliothèque Nationale de France, Département de la Musique, Fonds Erik Satie, MS 9623 (1), pp.22 à 31.
4 - Éditions de la Sirène, 1920, repris par Max Eschig.

In two letters to Hélène Jourdan-Morhange (23 and 24 March 1917),[1] Erik Satie announced his intention to dedicate a new piece to her, **Embarquement pour Cythère,** *perhaps inspired by Watteau's famous painting. This would be composed specially for her to play, in first performance with the pianist Pierre Lucas, on 17 May, during a concert at the Salle Huyghens which also included Satie's only other piece for violin and piano, the* **Choses vues à droite & à gauche (sans lunettes)** *of 1914.*

In her memoirs, the violinist regretted that "illness" had prevented the completion of the project, and that she had thus never been able "to set sail for Cythère with Satie!"[2]

In fact, our composer had not yet been struck by the illness which led to his death several years later. In the spring of 1917, it is more likely that he had to abandon the **Embarquement pour Cythère** *because of more urgent work on his ballet* **Parade,** *which was to be premiered by the Ballets Russes at the Châtelet Theatre on 18 May; that is, on the day after the concert in the Salle Huyghens.*

He had, however, already worked extensively on **Embarquement pour Cythère,** *as is proved by the sketches for a seductive barcarolle for violin and piano — with very precise bowing indications — that I discovered in the Music Department of the Bibliothèque Nationale de France, alongside sketches for the* **Portrait de Socrate** *which also date from March 1917.[3]*

In these sketches, the first eight bars have been inked over in black, as was Satie's custom with his definitive versions. He also wrote down a series of chords, based on perfect fourths, which allowed me to complete the small number of bars missing in the piano part (shown here in square brackets).

For the recapitulation, I kept the original accompaniment of the start, varying the melodic line in the same way as Satie did in his **Nocturnes** *(this passage is also shown in square brackets).*

I then played **Embarquement pour Cythère** *with the violinist Catherine Yates (of the Sorrel String Quartet) to make sure that everything was practically feasible. In my opinion,* **Embarquement pour Cythère** *is one of the most beautiful pieces of Erik Satie's maturity. One can compare it in its profundity with* **Socrate;**[4] *in particular, its subtle evocations of an unforeseen and slightly sinister world suggest to us, from time to time, the second part of this symphonic drama,* **Bords de l'Ilissus.**

Robert Orledge, May 1995

Bibliography: *Robert Orledge, "Satie at Sea", in* Music & Letters, *LXXI no.3 [August 1990], pp.364-6, and* Satie the composer, *Cambridge University Press, 1990, pp.314-15.*

1 - Archives de la Fondation Erik Satie, *collection Ornella Volta.*
2 - *See Hélène Jourdan-Morhange,* Mes amis musiciens, *Paris, les Éditeurs français réunis, 1955, p.76.*
3 - Bibliothèque Nationale de France, *Music Department, Fonds Erik Satie, MS 9623 (1), pp.22-31.*
4 - *Éditions de la Sirène, 1920, Max Eschig.*

à Hélène Jourdan-Morhange

EMBARQUEMENT POUR CYTHÈRE
pour violon et piano

Erik SATIE

EAS 19338p

17

[mars 1917]